D0231037

Pour Flynn - mon premier petit-fils.

Texte traduit de l'anglais par Élisabeth Duval

ISBN 978-2-211-09313-2
Première édition dans la collection *lutin poche* : octobre 2008

Titre de l'ouvrage original : ELMER AND AUNT ZELDA (Andersen Press)
Loi n° 49.956 du 16 juillet 1949 sur les publications
destinées à la jeunesse : septembre 2006
Dépôt légal : octobre 2008
Imprimé en France par Mame à Tours

David McKee

Elmer et tante Zelda

kaléidoscope
lutin poche de l'école des loisirs
11, rue de Sèvres, Paris 6e

Elmer, l'éléphant bariolé, vient juste de commencer une partie de cache-cache avec ses amis, quand surgit son cousin Walter.
« Elmer ! » crie Walter. « As-tu oublié ? Nous avons promis à tante Zelda d'aller lui rendre visite. »
« Mais bien sûr ! » s'exclame Elmer.
« J'avais complètement oublié. Dépêchons-nous ! »

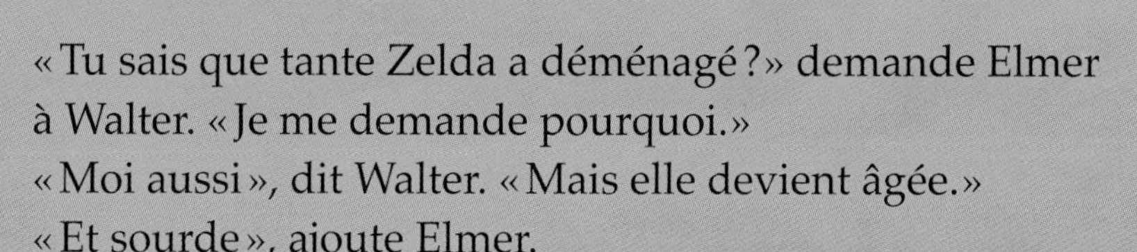
« Tu sais que tante Zelda a déménagé ? » demande Elmer à Walter. « Je me demande pourquoi. »
« Moi aussi », dit Walter. « Mais elle devient âgée. »
« Et sourde », ajoute Elmer.

Ils arrivent finalement près d'un troupeau d'éléphants qui ont l'air de bien s'amuser.
« Je parie que tante Zelda se trouve parmi eux », dit Elmer.
« Fais-leur une de tes farces avec ta voix. Crie-leur bonjour comme si tu étais derrière le troupeau. »

Walter fait des tours de magie avec sa voix.
Elle semble provenir d'endroits où lui ne se trouve pas.
« Bonjour, tout le monde ! » s'écrie-t-il. Comme la voix vient
de l'arrière du troupeau, tous les éléphants se retournent.
Enfin, tous, sauf tante Zelda.
« Bonjour, mes chers petits ! » s'exclame-t-elle.
« Bonjour, tante Zelda », dit Elmer. « Je savais que tu serais ici. »
« Tu as croisé un grizzli ? Comme c'est intéressant ! »
dit tante Zelda.

Les autres éléphants se pressent autour d'eux. Ils sont heureux de rencontrer les neveux de tante Zelda, et impatients que Walter leur fasse des farces avec sa voix. Mais tante Zelda dit : « Venez, tous les deux, je veux vous faire visiter mon nouveau chez-moi. »
« Pardon, tante Zelda », dit Elmer.
« Excuse-nous de t'avoir fait attendre. »
« Esclandre ? » demande tante Zelda.
« Mais qui fait de l'esclandre, mon chéri ? »

Tante Zelda est très fière de présenter Elmer et Walter à tous ses nouveaux amis. Elmer et Walter leur serrent poliment la trompe, mais ils ne se sentent pas très à l'aise.
« Nous, les anciens, nous aimons bien montrer notre famille », dit tante Zelda. « Et tous les deux, vous êtes particulièrement chers à mon cœur. »
« C'est réciproque, tante Zelda », dit Elmer.
« C'est une autre époque, oui, tu as raison », dit tante Zelda, « c'est une autre époque. »

Tante Zelda emmène Elmer et Walter au pied de la colline.
« C'est là-haut que je vivais », dit-elle. « Là où Tigre se rend. »
« Bonjour, Tigre », dit-elle. « J'ai déménagé. C'était trop pentu pour moi là-haut. »
« Sois heureuse là où tu vis maintenant ! » lui répond Tigre.
« Évite les caïmans ? Qu'est-ce qu'il raconte ? » demande tante Zelda.

Ils poursuivent leur promenade jusqu'aux chutes d'eau.
« Tu commençais à avoir du mal à gravir la colline,
c'est donc pour ça que tu as déménagé ? » demande Elmer.
« Et aussi parce que je me sentais un peu seule », dit tante Zelda.
« J'ai beaucoup d'amis là où je vis maintenant. Nous faisons
de belles promenades tous ensemble, comme avec vous aujourd'hui.
Sauf qu'ici, avec le bruit de la cascade, on ne s'entend plus parler ! »

« C’est le moment de faire une petite pause », dit tante Zelda.
« Voici l’un de nos endroits préférés. Nous nous asseyons et nous échangeons nos souvenirs de jeunesse. Vous y viendrez un jour, mais vous avez bien le temps ! » ajoute-t-elle en souriant.
« Je suis sûr qu’ils adorent tes histoires », dit Elmer.
« Si j’ai de la mémoire ? » demande tante Zelda. « Mais mon chéri, évidemment, j’ai une mémoire d’éléphant ! »

Ils font une autre petite pause pour regarder leur reflet dans l'eau. « Tu vois », dit Walter, « nous sommes tous les trois différents. »
« Mais nous nous ressemblons quand même », dit Elmer.
« C'est ça, la famille », explique tante Zelda.

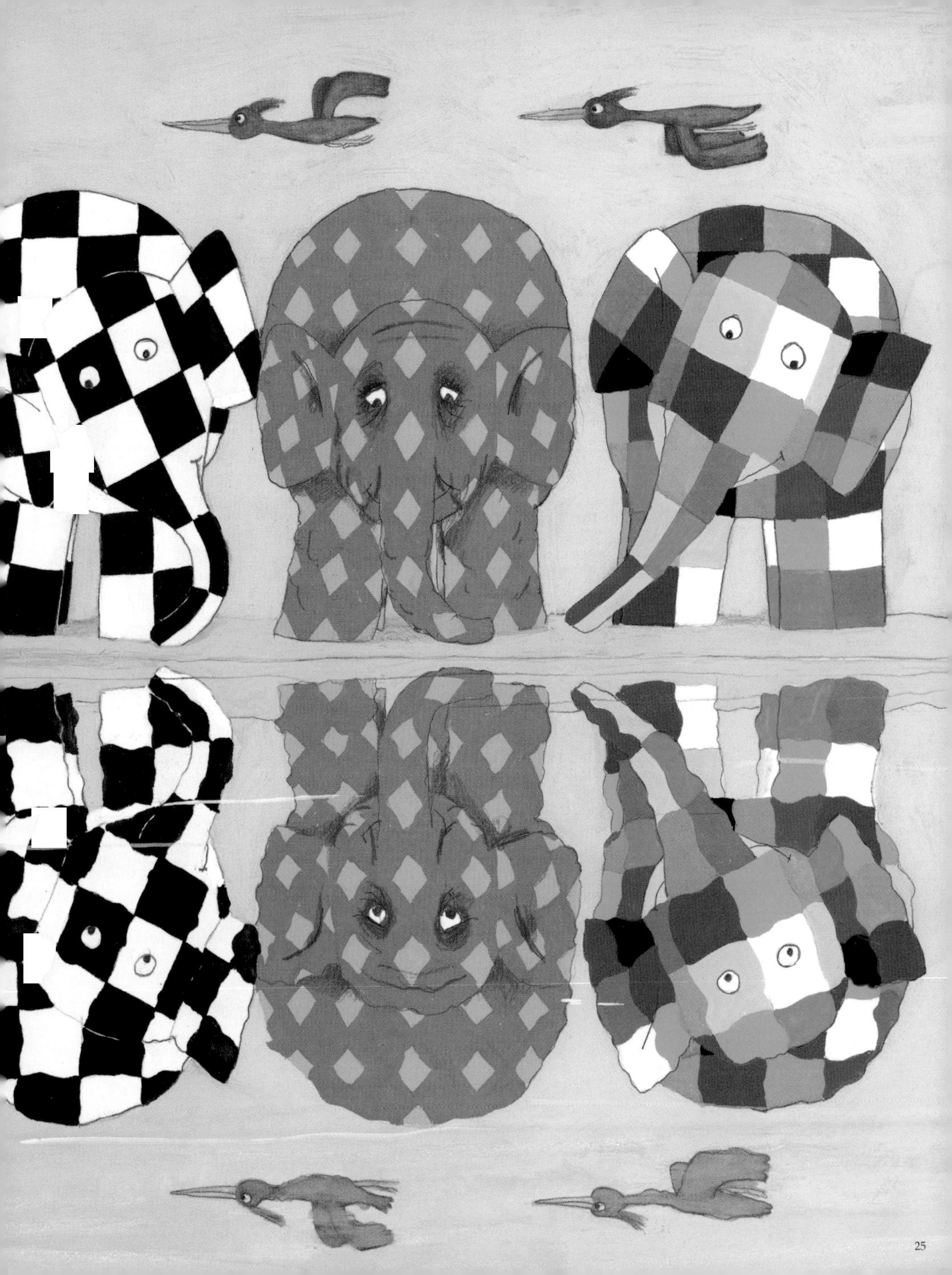

Ils descendent retrouver les amis de tante Zelda,
et Walter invente d'autres farces avec sa voix
qui les font beaucoup rire.
Il est maintenant temps de rentrer pour Elmer et Walter.
Au moment de quitter tante Zelda et ses amis, Elmer dit :
« Au revoir, tante Zelda. Nous reviendrons bientôt. »
« Il va tomber de l'eau ? » demande tante Zelda. « Peut-être
dans la soirée, mon chéri, en effet. »

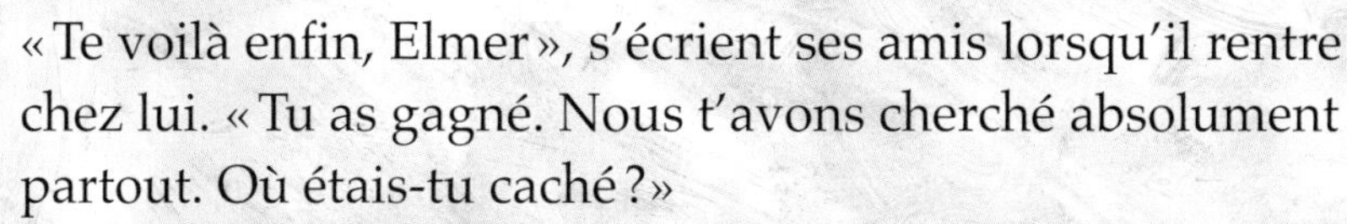

« Te voilà enfin, Elmer », s'écrient ses amis lorsqu'il rentre chez lui. « Tu as gagné. Nous t'avons cherché absolument partout. Où étais-tu caché ? »
« Caché ? » demande Elmer. Puis il se souvient de la partie de cache-cache. « Oh ! dans un endroit secret. Je crois que j'y retournerai un jour. »